中国工程建设协会标准

拔出法检测水泥砂浆和纤维水泥砂浆强度技术规程

Technical specification for inspection of strength of cement mortar and fiber reinforced cement mortar by pullout method

CECS 389：2014

主编单位：湖 南 大 学
批准单位：中国工程建设标准化协会
施行日期：２０１５年５月１日

中国计划出版社

2014 北 京

中国工程建设协会标准

拔出法检测水泥砂浆和纤维
水泥砂浆强度技术规程

CECS 389：2014

中国计划出版社出版

网址：www.jhpress.com

地址：北京市西城区木樨地北里甲11号国宏大厦C座3层

邮政编码：100038　电话：(010)63906433(发行部)

新华书店北京发行所发行

廊坊市海涛印刷有限公司印刷

850mm×1168mm　1/32　1.5印张　35千字

2015年4月第1版　2015年4月第1次印刷

印数1—5080册

☆

统一书号：1580242·700

定价：18.00元

版权所有　侵权必究

侵权举报电话：(010)63906404

如有印装质量问题，请寄本社出版部调换

中国工程建设标准化协会公告

第185号

关于发布《拔出法检测水泥砂浆和纤维水泥砂浆强度技术规程》的公告

根据中国工程建设标准化协会《关于印发〈2010年第一批工程建设协会标准制订、修订计划〉的通知》(建标协字〔2010〕27号)的要求,由湖南大学等单位编制的《拔出法检测水泥砂浆和纤维水泥砂浆强度技术规程》,经本协会建筑物鉴定与加固专业委员会组织审查,现批准发布,编号为CECS 389:2014,自2015年5月1日起施行。

中国工程建设标准化协会
二〇一四年十二月二十五日

前　言

根据中国工程建设标准化协会《关于印发〈2010年第一批工程建设协会标准制订、修订计划〉的通知》（建标协字〔2010〕27号）的要求，制定本规程。

本规程的主要内容包括：总则、术语和符号、基本规定、拔出法检测装置、预埋拔出检测技术、后装拔出检测技术、水泥砂浆和纤维水泥砂浆强度换算及推定等。

本规程由中国工程建设标准化协会建筑物鉴定与加固专业委员会（CECS/TC22）归口管理，由湖南大学土木工程学院负责解释（地址：湖南省长沙市岳麓区湖南大学土木工程学院《拔出法检测水泥砂浆和纤维水泥砂浆强度技术规程》管理组，邮政编码：410082）。在执行过程中，如发现修改和补充之处，请将意见和建议径寄解释单位。

主编单位： 湖南大学
参编单位： 福建省建筑科学研究院
四川省建筑科学研究院
江苏鼎达建筑新技术有限公司
湖南湖大土木建筑工程检测有限公司
湖南博联工程检测有限公司
华南理工大学
南华大学
湖南大学设计研究院有限公司
筑博设计股份有限公司
中国五矿二十三冶建设集团有限公司
长沙市望城区城乡建设局

吉首市住房与城乡建设局
华容县住房与城乡建设局
湖南大兴加固改造工程有限公司
湖南固力新材料有限公司

主要起草人： 卜良桃　徐　超　黄政宇　陈红根　龚建清
谭　玮　黎红兵　黄海鲲　王伍生　周　靖
陈振富　郦世平　周　飞　鲁承宏　邱大力
范云鹤　何放龙　戴　炜　曾裕林　熊竹初
李建平　吴　平　侯　琦　宛树旗　张　欢
刘德成　刘尚凯　刘裔彬　段文锋　何　瑶

主要审查人： 梁　坦　施楚贤　林文修　梁建国　崔士起
文恒武　李杰成

目　　次

1 总　　则 ………………………………………………………………（ 1 ）
2 术语和符号 ……………………………………………………………（ 2 ）
　2.1　术语 ………………………………………………………………（ 2 ）
　2.2　符号 ………………………………………………………………（ 3 ）
3 基本规定 ………………………………………………………………（ 4 ）
4 拔出法检测装置 ………………………………………………………（ 5 ）
　4.1　技术要求 …………………………………………………………（ 5 ）
　4.2　拔出仪 ……………………………………………………………（ 5 ）
　4.3　钻孔机 ……………………………………………………………（ 6 ）
　4.4　锚固胶、锚固件和固定架 ………………………………………（ 6 ）
5 预埋拔出检测技术 ……………………………………………………（ 8 ）
　5.1　一般规定 …………………………………………………………（ 8 ）
　5.2　安装锚固件和固定架 ……………………………………………（ 8 ）
　5.3　抹压砂浆和喷射砂浆 ……………………………………………（ 9 ）
　5.4　拔出试验 …………………………………………………………（ 9 ）
6 后装拔出检测技术 ……………………………………………………（11）
　6.1　一般规定 …………………………………………………………（11）
　6.2　钻孔与清孔 ………………………………………………………（11）
　6.3　注胶与锚固 ………………………………………………………（12）
　6.4　拔出试验 …………………………………………………………（13）
7 水泥砂浆和纤维水泥砂浆强度换算及推定 …………………………（14）
　7.1　水泥砂浆和纤维水泥砂浆强度换算 ……………………………（14）
　7.2　单个构件的水泥砂浆和纤维水泥砂浆强度推定 ………………（14）
　7.3　批抽检构件的水泥砂浆和纤维水泥砂浆强度推定 ……………（15）

附录 A 建立测强曲线的基本要求 …………………………（17）
本规程用词说明 …………………………………………（20）
引用标准名录 ……………………………………………（21）
附:条文说明 ………………………………………………（23）

Contents

1 General provisions .... (1)
2 Terms and symbols .... (2)
   2.1 Terms .... (2)
   2.2 Symbols .... (3)
3 Basic requirements .... (4)
4 Pullout test apparatus .... (5)
   4.1 Technical requirements .... (5)
   4.2 Pullout equipment .... (5)
   4.3 Drilling machine .... (6)
   4.4 Anchor glue, anchoring parts and fixed device ...... (6)
5 Cast-in-place pullout test technique .... (8)
   5.1 General requirements .... (8)
   5.2 Fixing anchoring parts and fixed device .... (8)
   5.3 Plastering mortar and spraying mortar .... (9)
   5.4 Pullout test .... (9)
6 Post-install pullout test technique .... (11)
   6.1 General requirements .... (11)
   6.2 Drilling and Borehole cleaning .... (11)
   6.3 Injecting glue and anchoring .... (12)
   6.4 Pullout test .... (13)
7 Conversion and estimating of cement mortar and fiber reinforced cement mortar compressive strength .... (14)
   7.1 Conversion of cement mortar and fiber reinforced

    cement mortar compressive strength ……………………（14）
 7.2 Compressive strength estimating of single component ……（14）
 7.3 Compressive strength estimating of inspection lot …………（15）
Appendix A Basic requirements of building strength
     curve ……………………………………………（17）
Explanation of wording in this specification ………………（20）
List of quoted standards ……………………………………（21）
Addition: Explanation of provisions ………………………（23）

1 总　　则

1.0.1 为规范拔出法检测水泥砂浆和纤维水泥砂浆抗压强度的试验和推定方法，保证检测精度，制定本规程。

1.0.2 本规程适用于既有结构、在建结构和加固结构中抗压强度为10MPa～50MPa的水泥砂浆和抗压强度为20MPa～80MPa的纤维水泥砂浆抗压强度的检测与推定。其检测对象为混凝土或砌体上采用抹压或喷射施工的厚度不小于30mm的水泥砂浆面层和纤维水泥砂浆面层。

1.0.3 采用拔出法进行水泥砂浆和纤维水泥砂浆强度检测与推定时，除应符合本规程外，尚应符合国家现行有关标准的规定。

2 术语和符号

2.1 术 语

2.1.1 拔出法 pullout method

通过安装在水泥砂浆和纤维水泥砂浆中的锚固件,采用拔出仪测定拔出力,并推定水泥砂浆和纤维水泥砂浆抗压强度的检测方法。拔出法包括预埋拔出法和后装拔出法。

2.1.2 预埋拔出法 cast-in-place pullout method

对预先埋置在水泥砂浆和纤维水泥砂浆中的锚固件进行拉拔试验,根据拔出力来推定水泥砂浆和纤维水泥砂浆抗压强度的检测方法。

2.1.3 后装拔出法 post-install pullout method

在已硬化的水泥砂浆和纤维水泥砂浆表面钻孔、清孔、注入锚固胶并安放锚固件,待锚固胶固化后安装拔出仪进行拔出试验,并根据拔出力来推定水泥砂浆和纤维水泥砂浆强度的检测方法。

2.1.4 测点 testing point

检测水泥砂浆和纤维水泥砂浆时,按本规程要求取得检测数据的检测点。

2.1.5 抽样检测 sampling inspection

从检测批中抽取样本,通过对样本的检测确定检验批水泥砂浆和纤维水泥砂浆强度的检测方法。

2.1.6 纤维水泥砂浆 fiber reinforced cement mortar

由水泥、细集料、外加剂,以及根据需要掺入的纤维材料等组分加水拌和而成的砂浆。纤维水泥砂浆主要包括钢纤维水泥砂浆和合成纤维水泥砂浆。

2.1.7 合成纤维 synthetics

用合成高分子化合物做原料而制得的化学纤维的统称。

2.1.8 圆环式拔出仪　　ring type pullout instrument

由反力支承圆环、加荷装置和测力装置组成的强度检测仪器。仪器利用反力支承圆环和加荷装置将锚固件从砂浆面层中拔出，并通过测力装置记录拔出力。

2.2 符　号

e_r——相对标准差；

$f_{m,c}$——水泥砂浆强度换算值；

$f_{fm,c}$——纤维水泥砂浆强度换算值；

$f_{m,e}$——水泥砂浆强度推定值；

$f_{fm,e}$——纤维水泥砂浆强度推定值；

F——拔出力；

$\overline{f_{m,c}}$、$\overline{f_{fm,c}}$——检验批中构件水泥砂浆、纤维水泥砂浆强度换算值的平均值；

$S_{m,c}$、$S_{fm,c}$——检验批中构件水泥砂浆、纤维水泥砂浆强度换算值的标准差；

t——检验批中所抽检的构件总数；

$f_{m,cu}$——水泥砂浆立方体试块抗压强度；

n——制订回归方程的数据数量。

3 基本规定

3.0.1 拔出法检测结果可作为评定水泥砂浆和纤维水泥砂浆强度的依据，检测前应全面了解工程相关情况并宜具备下列相关资料：

    1 工程名称及设计、施工、建设单位和监理单位名称；

    2 被检测的结构或构件名称、设计图纸及设计要求的水泥砂浆和纤维水泥砂浆强度等级；

    3 细骨料品种、级配、最大粒径及纤维品种和砂浆配合比；

    4 水泥砂浆和纤维水泥砂浆施工和养护情况以及龄期；

    5 检测原因等。

3.0.2 符合下列条件的构件可作为同批构件：

    1 水泥砂浆或纤维水泥砂浆强度等级相同；

    2 水泥砂浆或纤维水泥砂浆原材料、配合比、施工工艺、养护条件及龄期基本相同；

    3 结构或构件种类相同；

    4 构件所处环境相同。

3.0.3 结构或构件的测点应标有编号，并宜绘制测点布置图。拔出法原位检测后，应对测点部位进行修补。

3.0.4 本规程提供了水泥砂浆和纤维水泥砂浆强度的全国统一测强曲线，测强曲线相对标准差均不应大于12%。有条件的地区和部门也可根据实际情况制定地区测强曲线和专用测强曲线，测强曲线相对标准差不应大于12%。建立测强曲线的基本要求应按本规程附录A执行。

3.0.5 从事拔出法检测的人员，应经过专门的培训与考核，并满足现行国家标准《房屋建筑与市政基础设施工程质量检测技术管理规范》GB 50618中关于检测人员的相关规定。现场检测作业应遵守国家现行有关安全环保的规定。

4 拔出法检测装置

4.1 技术要求

4.1.1 拔出法检测应采用圆环式拔出仪,其检测装置应由钻孔机、注胶枪、固定架、锚固件及拔出仪等组成。

4.1.2 拔出法试验装置应具有制造工厂的产品合格证,拔出仪应经法定计量机构校准。

4.2 拔 出 仪

4.2.1 拔出仪应由加荷装置、测力装置及反力支承圆环三部分组成,其技术性能应符合下列规定:
    1 测试最大拔出力应为额定拔出力的20%～80%;
    2 拔出仪拉杆应采用不小于6.8级的碳钢制作;
    3 拔出仪工作行程不应小于4mm;
    4 允许示值误差不应超过仪器额定拔出力的±2%;
    5 测力装置应具有峰值保持功能。

4.2.2 拔出仪(图4.2.2)的反力支承圆环应采用屈服强度标准值不应小于400MPa的碳钢制作。反力支承圆环的尺寸应符合下列规定:
    1 内径应为(120±0.1)mm;
    2 外径应为(135±0.1)mm;
    3 高度应为(50±0.1)mm;
    4 上壁厚应为(15±0.1)mm。

4.2.3 拔出仪应每年至少校准一次。当遇下列情况之一时,应送法定计量机构重新校准:
    1 新仪器使用前;

2 遭受严重撞击或其他损害；
3 经维修后；
4 拔出仪出现异常时。

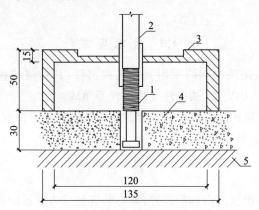

图 4.2.2 拔出法检测装置示意图
1—锚固件；2—拉杆；3—反力支承圆环；4—水泥砂浆或纤维水泥砂浆层；5—基层

4.3 钻 孔 机

4.3.1 钻孔机宜采用金刚石薄壁空心钻。

4.3.2 钻孔机宜带有控制垂直度及深度的装置。金刚石薄壁空心钻应带有水冷却装置。

4.4 锚固胶、锚固件和固定架

4.4.1 锚固胶性能指标应符合表 4.4.1 的规定。

表 4.4.1 锚固胶的性能指标

项 目	性能指标	试 验 方 法
抗拉强度（MPa）	≥40	《树脂浇铸体性能试验方法》GB/T 2567
受拉弹性模量（MPa）	≥2500	
伸长率（%）	≥1.5	
抗压强度（MPa）	≥70	

续表 4.4.1

项　　目	性能指标	试　验　方　法
混合后初黏度（23℃时）（MPa·s）	≥1800	《塑料 环氧树脂 黏度测定方法》GB/T 22314
钢-钢拉伸剪切强度（MPa）	≥20	《树脂浇铸体性能试验方法》GB/T 2567

注：表中的性能指标均为平均值。

4.4.2 锚固件应采用屈服强度标准值不小于400MPa的碳钢制作，其尺寸应符合图4.4.2的规定，允许误差应为±0.1mm。锚固件锚固深度应为(30.5±0.5)mm。

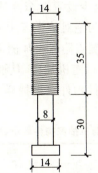

图 4.4.2 锚固件示意图

4.4.3 固定架（图4.4.3）应能保证锚固件垂直于水泥砂浆或纤维水泥砂浆表面并可调节锚固深度。

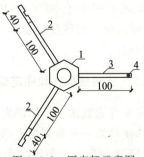

图 4.4.3 固定架示意图

1—中心螺母；2—固定杆；3—活动杆；4—活动杆调节螺丝

5 预埋拔出检测技术

5.1 一般规定

5.1.1 拔出试验前,应确认锚固件周围水泥砂浆或纤维水泥砂浆完好未受损伤,并确保拔出仪的工作状态正常。

5.1.2 预埋拔出法的测点数量和位置应预先规划确定。对单个构件进行强度测试时,应至少设置3个测试点。当最大拔出力或最小拔出力与中间值之差的绝对值大于中间值的15%时,应采用后装拔出法在最小拔出力测点附近再加测2个测点。

5.1.3 抽样检测时,应进行随机抽样,且抽检构件最小数量应符合表5.1.3的规定。对同批构件按批抽样检测时,每个构件测试点数宜为1个。

表5.1.3 随机抽测构件最小数量(个)

同一检测批构件总数	15～25	26～50	51～90	91～150	151～280
抽测构件最小数量	5	8	13	20	32

5.1.4 测点之间的距离不应小于300mm;测点离构件边沿的距离不应小于100mm;测点部位的砂浆厚度不应小于30mm。测点位置应避开钢筋和预埋件。

5.2 安装锚固件和固定架

5.2.1 锚固件和固定架外表宜涂上一层隔离剂。

5.2.2 锚固件应在抹压砂浆前安放到测点部位。安装固定架时,调节活动杆螺丝使固定架与基层表面垂直后,应在两个固定杆的凹槽内钉入钢钉,使固定架固定在基层上(图5.2.2)。

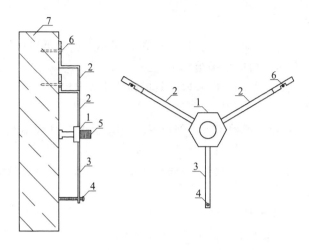

图 5.2.2 预埋拔出法锚固件和固定架安装示意图
1—中心螺母;2—固定杆;3—活动杆;4—活动杆调节螺丝;
5—锚固件;6—钢钉;7—基层

5.3 抹压砂浆和喷射砂浆

5.3.1 抹压的砂浆面层应分三层抹压,第一层应将构件基层表面缝隙、孔洞抹实;终凝前埋设锚固件及固定架,并抹第二层厚度为 15mm 的砂浆;第二层砂浆终凝前应拆除固定架,然后抹第三层厚度为 15mm 的砂浆。

5.3.2 喷射的砂浆面层应分三层喷射,第一层应将构件基层表面缝隙、低凹处喷填,使基层表面平整;终凝前埋设锚固件及固定架,并喷射第二层厚度为 15mm 的砂浆;第二层砂浆终凝前应拆除固定架,然后喷射第三层厚度为 15mm 的砂浆。

5.4 拔 出 试 验

5.4.1 拔出仪与锚固件应用拉杆连接对中,并与水泥砂浆和纤维水泥砂浆测试面垂直。

5.4.2 施加拔出力应连续均匀,其速度应控制在 0.5kN/s～

1.0kN/s。

5.4.3 施加拔出力至砂浆破坏,测力显示器读数不再增加为止。记录的拔出力值应精确至0.1kN。

5.4.4 进行检测时,应采取有效措施防止拔出仪及机具脱落伤人或摔坏。

5.4.5 当拔出试验出现下列情况之一时,应按本规程第5.1.2条及第5.1.3条的规定补充检测。

 1 单个构件检测时,因锚固件损伤或异常导致有效测试点不足3个;

 2 按批抽样检测时,因锚固件损伤或数据异常导致抽测构件最小数量不足5个,无法按批进行推定。

6 后装拔出检测技术

6.1 一般规定

6.1.1 拔出法检测前,应确保钻孔机、注胶枪及拔出仪的工作状态正常,锚固件的规格、尺寸满足要求。

6.1.2 检测水泥砂浆和纤维水泥砂浆强度,可采用下列两种方式:

    1 单个检测:适用于单个构件的检测,其检测结果不得扩大到未检测的构件或范围;

    2 抽样检测:同一检测批构件总数不应少于 15 个,否则,应按单个检测。

6.1.3 抽样检测时,应进行随机抽样,且抽测构件最小数量应符合本规程表 5.1.3 的规定。

6.1.4 按单个构件检测时,应在构件上均匀布置 3 个测点。对同批构件按批抽样检测时,每个构件测试点数宜为 1 个。当最大拔出力或最小拔出力与中间值之差的绝对值大于中间值的 15% 时,应在最小拔出力测点附近再加设 2 个测点。

6.1.5 相邻两测点的间距不应小于 300mm,测点距构件边缘不应小于 100mm。测点应避开砂浆面层破损部位以及钢筋和预埋件。

6.1.6 被测构件应处于干燥状态;测试面应平整、清洁,必要时应进行磨平处理。

6.2 钻孔与清孔

6.2.1 在钻孔过程中,钻头应始终与水泥砂浆或纤维水泥砂浆测试面保持垂直,垂直度偏差不应大于 3°。

6.2.2 成孔尺寸应符合下列规定：
  1 钻孔直径应为(18±1)mm；
  2 钻孔深度应为(30.5±0.5)mm。

6.2.3 钻孔完毕后，应用毛刷或吹尘球清除孔内粉尘。

6.3 注胶与锚固

6.3.1 向孔内注入锚固胶时，应缓慢注胶至胶体从孔内溢出，以确保孔内胶体饱满。

6.3.2 注胶完成后应尽快安放锚固件，锚固件应事先与固定架连接好。锚固件应缓慢旋入孔内，确保锚固件与锚固胶充分黏结(图6.3.2)。

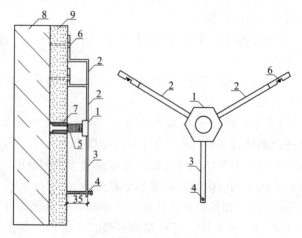

图 6.3.2 后装拔出法示意图
1—中心螺母；2—固定杆；3—活动杆；4—活动杆调节螺丝；5—锚固件；
6—钢钉；7—锚固胶；8—基层；9—水泥砂浆或纤维水泥砂浆层

6.3.3 锚固件旋入孔内后，应调节活动杆螺丝，使锚固件与测试面垂直，并及时在两个固定杆的凹槽内钉入钢钉，将固定架固定(图6.3.2)。

6.3.4 待锚固胶固化后，方可拔除固定杆凹槽内的钢钉，拆除固定架,进行拔出试验。

6.4 拔 出 试 验

6.4.1 拔出试验应符合本规程第 5.4.1 条～第 5.4.4 条的规定。

6.4.2 当拔出试验出现下列情况之一时,应做详细记录,并将该值舍去,在该测点附近加测 1 个测点。

1 破坏体呈非完整椎体破坏状态；
2 反力支承圆环外砂浆出现裂缝；
3 锚固件出现断裂或滑脱；
4 破坏体的破坏面上有显著影响检测精度的缺陷或异物。

7 水泥砂浆和纤维水泥砂浆强度换算及推定

7.1 水泥砂浆和纤维水泥砂浆强度换算

7.1.1 水泥砂浆和纤维水泥砂浆强度换算值,可按下列公式计算:

1 预埋拔出法检测水泥砂浆:
$$f_{m,c} = 4.83F - 24.47 \qquad (7.1.1\text{-}1)$$

2 后装拔出法检测水泥砂浆:
$$f_{m,c} = 4.90F - 20.35 \qquad (7.1.1\text{-}2)$$

3 预埋拔出法检测合成纤维水泥砂浆:
$$f_{fm,c} = 5.16F - 16.44 \qquad (7.1.1\text{-}3)$$

4 后装拔出法检测合成纤维水泥砂浆:
$$f_{fm,c} = 5.17F - 23.16 \qquad (7.1.1\text{-}4)$$

5 预埋拔出法检测钢纤维水泥砂浆:
$$f_{fm,c} = 3.50F - 4.02 \qquad (7.1.1\text{-}5)$$

6 后装拔出法检测钢纤维水泥砂浆:
$$f_{fm,c} = 4.37F - 19.30 \qquad (7.1.1\text{-}6)$$

式中:$f_{m,c}$——水泥砂浆强度换算值(MPa),精确至 0.01MPa;

$f_{fm,c}$——纤维水泥砂浆强度换算值(MPa),精确至0.01MPa;

F——拔出力(kN),精确至 0.1kN。

7.1.2 当有地区测强曲线或专用测强曲线时,水泥砂浆和纤维水泥砂浆强度换算值,可按地区测强曲线或专用测强曲线计算。

7.2 单个构件的水泥砂浆和纤维水泥砂浆强度推定

7.2.1 单个构件的拔出力,应按下列规定取值:

1 当3个拔出力的最大值和最小值与中间值之差的绝对值

均未超过中间值的 15% 时,以 3 个拔出力的算术平均值作为该构件拔出力,计算精确至 0.1kN;

2 当按本规程第 5.1.2 条或第 6.4.2 条加测时,加测的拔出力值和前一次的最小拔出力值一起取平均值,再与前一次的拔出力中间值比较,取较小值作为该构件拔出力。

7.2.2 将单个构件的拔出力根据不同的检测方法对应代入公式 (7.1.1-1)~公式(7.1.1-6)中计算强度换算值作为单个构件水泥砂浆强度推定值 $f_{m,e}$ 或单个构件纤维水泥砂浆强度推定值 $f_{fm,e}$。

$$f_{m,e} = f_{m,c} \quad (7.2.2-1)$$
$$f_{fm,e} = f_{fm,c} \quad (7.2.2-2)$$

式中:$f_{m,e}$——水泥砂浆强度推定值(MPa);
　　　$f_{fm,e}$——纤维水泥砂浆强度推定值(MPa)。

7.3 批抽检构件的水泥砂浆和纤维水泥砂浆强度推定

7.3.1 应将同批构件抽样检测的每个拔出力根据不同的检测方法和检测对象对应代入公式(7.1.1-1)~公式(7.1.1-6)中计算强度换算值。

7.3.2 水泥砂浆强度的推定值 $f_{m,e}$,可按下列公式计算:

$$f_{m,e} = m_{m,c} - 1.75 S_{m,c} \quad (7.3.2-1)$$

$$m_{m,c} = \frac{1}{t} \sum_{i=1}^{n} f_{m,i} \quad (7.3.2-2)$$

$$S_{m,c} = \sqrt{\frac{\sum_{i=1}^{t}(f_{m,i} - m_{m,c})^2}{t-1}} \quad (7.3.2-3)$$

式中:$S_{m,c}$——检验批中构件水泥砂浆强度换算值的标准差(MPa),精确至 0.01MPa;
　　　t——检验批中所抽检的构件总数;
　　　$f_{m,ci}$——第 i 个测点水泥砂浆强度换算值(MPa);
　　　$m_{m,c}$——检验批中构件水泥砂浆强度换算值的平均值

(MPa)，精确至0.01MPa。

7.3.3 纤维水泥砂浆强度的推定值 $f_{fm,e}$ 可按本规程第7.3.2条的规定计算。

7.3.4 对于按批抽样检测的构件，当砂浆强度换算值的平均值不大于30MPa时，标准差应大于4.0MPa；当砂浆强度换算值的平均值大于30MPa且不大于60MPa时，标准差应大于5.0MPa；当砂浆强度换算值的平均值大于60MPa，标准差大于6.0MPa时，应全部按单个构件进行检测。

附录 A 建立测强曲线的基本要求

A.0.1 拔出法检测装置应符合本规程第 4 章的有关规定。

A.0.2 水泥砂浆和纤维水泥砂浆所用水泥应符合现行国家标准《通用硅酸盐水泥》GB 175 的规定；水泥砂浆和纤维水泥砂浆用砂应符合国家现行标准《建设用砂》GB/T 14684 以及《普通混凝土用砂、石质量及检验方法标准》JGJ 52 的规定；纤维水泥砂浆用纤维应符合现行协会标准《纤维混凝土结构技术规程》CECS 38 的规定。

A.0.3 建立测强曲线试验用水泥砂浆和纤维水泥砂浆，不宜少于 8 个强度等级，每一强度等级砂浆不应少于 6 组，每组由 1 个至少可布置 3 个测点的拔出试件和相应的 3 个立方体试块组成。

A.0.4 每组拔出试件和立方体试块，应采用同盘砂浆，同条件养护，同时进行试验。砂浆试块应采用带底试模制作。

A.0.5 拔出法检测应按下列规定进行：

1 拔出法检测的测点应布置在试件侧面；

2 在每一拔出试件上，应进行不少于 3 个测点的拔出法检测，取平均值为该试件的拔出力计算值 $F(kN)$，精确至 $0.1kN$；

3 3 个立方体试块的抗压强度，应按现行行业标准《建筑砂浆基本性能试验方法标准》JGJ/T 70 确定。

A.0.6 测强曲线应按下列步骤进行计算：

1 将每组试件的拔出力计算值及立方体试块的抗压强度汇总，按最小二乘法原理进行回归分析；

2 水泥砂浆强度换算值的回归方程式，可按下式计算：

$$f_{m,c} = A \cdot F + B \quad (A.0.6-1)$$

$$A = \frac{\sum_{i=1}^{n} f_i F_i - \frac{1}{n} \cdot (\sum_{i=1}^{n} F_i)(\sum_{i=1}^{n} f_i)}{\sum_{i=1}^{n} F_i^2 - \frac{1}{n} \cdot (\sum_{i=1}^{n} F_i)^2} \quad (A.0.6-2)$$

$$B = \overline{f} - A\overline{F} \quad (A.0.6-3)$$

式中：$f_{m,c}$——水泥砂浆强度换算值(MPa)，精确至 0.01MPa；

  F——拔出力(kN)，精确至 0.1kN；

  A——测强公式回归系数($10^3/mm^2$)；

  B——测强公式回归系数(MPa)；

  f_i——第 i 个构件的水泥砂浆立方体试块抗压强度(MPa)，精确至 0.01MPa；

  F_i——第 i 个构件的拔出力(kN)，精确至 0.1kN；

  n——制定回归方程式的数据数量；

  $\overline{F}$——制定回归方程式的 n 个拔出力平均值(kN)，精确至 0.1kN；

  $\overline{f}$——制定回归方程式的 n 组水泥砂浆立方体试块抗压强度平均值(MPa)，精确至 0.01MPa。

  3 回归方程的相对标准差 e_r，可按下式计算：

$$e_r = \sqrt{\frac{\sum_{i=1}^{n}(f_{m,ci}/f_{m,cui} - 1)^2}{n-1}} \quad (A.0.6-4)$$

式中：e_r——相对标准差；

  $f_{m,cui}$——第 i 组水泥砂浆立方体试块抗压强度(MPa)，精确至 0.01MPa；

  $f_{m,ci}$——由第 i 个水泥砂浆拔出试件的拔出力 F_i 按公式(A.0.6-1)计算的强度换算值(MPa)，精确至 0.01MPa；

  n——制订回归方程式的数据数量。

  纤维水泥砂浆强度换算值的回归方程式的计算方法可按本条第 1 款～第 3 款的规定执行。

A.0.7 当回归方程式的相对标准差符合本规程第 3.0.4 条的规定时,可报请当地建设行政主管部门审定后实施。

A.0.8 测强曲线的使用,仅限于在建立回归方程所试验的水泥砂浆和纤维水泥砂浆强度范围内,不得外推。

本规程用词说明

1 为便于在执行本规程条文时区别对待,对要求严格程度不同的用词说明如下:
  1) 表示很严格,非这样做不可的:
    正面词采用"必须",反面词采用"严禁";
  2) 表示严格,在正常情况下均应这样做的:
    正面词采用"应",反面词采用"不应"或"不得";
  3) 表示允许稍有选择,在条件许可时首先应这样做的:
    正面词采用"宜",反面词采用"不宜";
  4) 表示有选择,在一定条件下可以这样做的,采用"可"。
2 条文中指明应按其他有关标准执行的写法为:"应符合……的规定"或"应按……执行"。

引用标准名录

《房屋建筑与市政基础设施工程质量检测技术管理规范》GB 50618
《通用硅酸盐水泥》GB 175
《树脂浇铸体性能试验方法》GB/T 2567
《建设用砂》GB/T 14684
《塑料 环氧树脂 黏度测定方法》GB/T 22314
《普通混凝土用砂、石质量及检验方法标准》JGJ 52
《建筑砂浆基本性能试验方法标准》JGJ/T 70
《纤维混凝土结构技术规程》CECS 38

中国工程建设协会标准

拔出法检测水泥砂浆和纤维
水泥砂浆强度技术规程

CECS 389:2014

条文说明

目　　次

1 总　　则 ……………………………………………………（27）
2 术语和符号 …………………………………………………（28）
　2.1 术语 ……………………………………………………（28）
　2.2 符号 ……………………………………………………（28）
3 基本规定 ……………………………………………………（29）
4 拔出法检测装置 ……………………………………………（30）
　4.1 技术要求 ………………………………………………（30）
　4.2 拔出仪 …………………………………………………（30）
　4.3 钻孔机 …………………………………………………（30）
　4.4 锚固胶、锚固件和固定架 ……………………………（31）
5 预埋拔出检测技术 …………………………………………（32）
　5.1 一般规定 ………………………………………………（32）
　5.2 安装锚固件和固定架 …………………………………（32）
　5.3 抹压砂浆和喷射砂浆 …………………………………（33）
　5.4 拔出试验 ………………………………………………（33）
6 后装拔出检测技术 …………………………………………（34）
　6.2 钻孔与清孔 ……………………………………………（34）
　6.3 注胶与锚固 ……………………………………………（34）
7 水泥砂浆和纤维水泥砂浆强度换算及推定 ………………（35）
　7.1 水泥砂浆和纤维水泥砂浆强度换算 …………………（35）
　7.2 单个构件的水泥砂浆和纤维水泥砂浆强度推定 ……（35）
　7.3 批抽检构件的水泥砂浆和纤维水泥砂浆强度推定 …（36）
附录 A 建立测强曲线的基本要求 …………………………（37）

1 总　　则

1.0.1 拔出法具有检测精度高、破损程度小、操作简便、适用范围广等特点。采用拔出法检测水泥砂浆和纤维水泥砂浆强度，扩大了拔出法的应用范围，有利于提高我国建筑工程质量检测水平。

1.0.2 拔出法检测砂浆面层抗压强度时，基层类型对拔出力影响很小，因此本规程适用于混凝土表面的砂浆面层和砌体表面的砂浆面层抗压强度检测。

工程中常用的砂浆面层厚度为 25mm～40mm。本规程所依据的拔出法试验中，采用的是抹压施工的厚度为 30mm 的砂浆面层。当砂浆面层厚度大于 30mm，或砂浆面层采用喷射施工时，本规程中的检测方法仍然适用，因此本规程的检测对象为抹压施工或喷射施工的厚度不小于 30mm 的水泥砂浆面层和纤维水泥砂浆面层。水泥砂浆和纤维水泥砂浆具有较高的强度，薄层施工方便，因而在既有结构、在建结构和加固结构构件中的应用受到青睐。

鉴于本规程依据立方体抗压强度 $f_{m,cu}$ 为 10MPa、15MPa、20MPa、25MPa、30MPa、35MPa、40MPa、45MPa、50MPa 的水泥砂浆面层和立方体抗压强度 $f_{fm,cu}$ 为 20MPa、30MPa、40MPa、50MPa、60MPa、70MPa、80MPa 的纤维水泥砂浆面层的拔出法试验研究结果，因而本规程适用于 10MPa～50MPa 的水泥砂浆和 20MPa～80MPa 的纤维水泥砂浆抗压强度的检测与推定。

2 术语和符号

2.1 术 语

2.1.2、2.1.3 这两条针对预埋拔出法和后装拔出法的特点,给出了这两种检测方法的定义和英文术语。

2.2 符 号

本节依据现行国家标准《工程结构设计通用符号标准》GB 50132 对通用符号的规定。

本节给出了水泥砂浆强度换算值、推定值和纤维水泥砂浆强度换算值、推定值等主要术语的符号,这些符号较之相关标准中的符号有所简化,方便使用。

3 基本规定

3.0.1 拔出法检测之前,应收集必要的工程资料,以利于正确选择检测方案和推定水泥砂浆与纤维水泥砂浆的强度。

3.0.3 拔出法检测对测试部位砂浆层会造成局部缺陷和破损。为了不影响美观和使用,测试完成后,对测点处破损部位,可用强度等级高于面层砂浆的水泥砂浆或纤维水泥砂浆进行修补。

3.0.4 本规程规定的测强曲线允许相对标准差为12%,既符合工程实际情况,也保证了测强曲线的准确性。由于不同地区水泥砂浆和纤维水泥砂浆材料品种多、生产和施工的工艺不同,因而实际情况与测强曲线可能存在较大差异,此时也可根据本地区的特点建立地区测强曲线。

3.0.5 为了更好地推广拔出法检测水泥砂浆和纤维水泥砂浆强度技术,保证测试精度,只有经过专门培训与考核的工作人员方可进行拔出法检测。

4 拔出法检测装置

4.1 技术要求

4.1.1 圆环式拔出仪可使测试面受力均匀,破坏面呈较完整的锥状体,检测精度较高。

4.1.2 拔出法检测装置的制造质量及计量精度直接关系到拔出法检测的测试精度,因此拔出仪应具有法定计量部门的校准合格证。

4.2 拔 出 仪

4.2.1 拔出法检测最小拔出力小于额定拔出力20%时会造成测试结果误差偏大,大于额定拔出力80%时容易对拔出仪造成损伤,本条规定了拔出法检测最大拔出力的范围。

拔出仪的工作行程与水泥砂浆和纤维水泥砂浆的挤压变形、压缩变形及开裂变形有关,为了使拔出试验破坏体呈现出较明显的破坏特征,本条规定了拔出仪最小工作行程。

为保证拔出仪工作过程中不被拉断,本条规定了拔出仪拉杆制造材料的最小强度。

4.2.2 当测试构件的砂浆强度较高时,反力支承圆环应具有足够的强度和刚度,因此对制造反力支承圆环的材料强度提出了要求。

拔出仪是一种精度要求较高的测试仪器,为了保持拔出仪各部件正常工作,同时使反力支承圆环对测试面均匀施压,因此本条规定了对反力支承圆环尺寸的要求。

4.3 钻 孔 机

4.3.2 钻孔垂直度和钻孔深度关系到后装拔出法锚固件的锚固

效果,钻孔偏斜或钻孔太浅都会影响测试精度,因此,钻孔机宜带有控制垂直度及深度的装置。

4.4 锚固胶、锚固件和固定架

4.4.1 当锚固胶性能不满足本条的规定时,后装拔出法检测中,砂浆破坏模式可能出现锚固件拔脱破坏、砂浆锥体与胶体黏结破坏等异常情况,导致测试结果不准确。因此本条规定了锚固胶的性能指标。

4.4.2 锚固件制造材料强度低于本规程规定时,可能导致锚固件拔断,因此本条对锚固件制造材料强度提出了规定。

在既有结构、在建结构和加固结构中,水泥砂浆和纤维水泥砂浆层厚度通常为25mm～40mm,考虑到锚固深度太浅无法保证测试精度,因此本规程规定锚固件的锚固深度为(30.5 ± 0.5)mm。

5 预埋拔出检测技术

5.1 一般规定

5.1.2 拔出试验时,测点位置砂浆锥体从原构件砂浆层上脱离,测点附近砂浆产生变形和开裂,会对构件测点部位造成局部损伤,所以在构件上不宜布置较多的测点。本规程规定单个构件设置测点的最小数量为3个,当3个测点拔出力的离散程度较大时,则应加测2个测点,以保证测试结果的准确性。

5.1.3 为了使拔出法检测结果具有更好的代表性,本条规定了随机抽样检测时抽测构件的最小数量,以保证检测的水泥砂浆和纤维水泥砂浆拔出力具有较高的保证率。

5.1.4 拔出试验过程中,反力支承圆环对测试面有挤压作用,测点周围的砂浆层在拔出测试时受力破坏或变形。为了使相邻测点之间互相不受影响,本条规定相邻测点间距为300mm。

考虑到反力支承圆环的外径的大小,规定测点距离构件边缘不小于100mm,以使拔出试验时反力支承圆环完全覆盖在测试面上。

本规程规定的测点附近砂浆厚度不应小于30mm,既能满足工程应用的需要,又能使砂浆破坏呈现较明显的锥状体。

5.2 安装锚固件和固定架

5.2.1 在锚固件、固定架外表需要涂上一层隔离剂,否则固定架难以拆下。

5.2.2 由于预埋拔出法操作工序的要求,锚固件安放在基层表面后必须借助外力使之固定。本规程采用固定架与锚固件连接,调节固定架可以使锚固件与基层表面垂直。用钢钉钉入固定架的凹槽将其固定,可以防止锚固件移位或晃动。

5.3 抹压砂浆和喷射砂浆

5.3.1、5.3.2 进行预埋拔出法检测时,抹压施工和喷射施工的砂浆面层检测效果相同。锚固件周围的砂浆应密实平整,以确保测试结果准确,规定砂浆分三次抹压或喷射。第一次抹压或喷射可确保基层表面平整,便于安放锚固件。第二次抹压或喷射可以使锚固件周围被砂浆包裹密实,将锚固件先行固定。第三次抹压或喷射可以将砂浆面层整平,使测点周围饱满无缺陷。拆除固定架应在第三层砂浆终凝前进行,否则固定架难以拆下。

5.4 拔出试验

5.4.1 拔出检测过程中拉杆沿着反力支承圆环轴心移动,拔出仪拉杆与锚固件连接不对中会对拔出仪造成损伤,因此锚固件应与拔出仪对中连接。

5.4.2 施加拔出力的速度会影响对拔出法检测结果。操作时拔出速度过快会导致测得的拔出力数值偏大,拔出速度过慢会导致测得的拔出力数值偏小,因此应按本条规定的加荷速度进行操作。

5.4.3 拔出试验过程后期砂浆变形增长较快,而拔出力增长较慢,如果测力显示器读数仍在缓慢增加就读数,会使读取的拔出力数值偏低。

6 后装拔出检测技术

6.2 钻孔与清孔

6.2.1 钻孔垂直度偏差是影响测试精度的主要因素之一，钻孔倾斜过大会导致锚固件与测试面不垂直，因此本条规定了垂直度偏差限值。

6.2.2 本条规定的钻孔直径比锚固件直径略大，是为了有足够空间让锚固件与锚固胶充分黏结。

6.2.3 孔壁内残留的粉尘会降低锚固胶与砂浆的黏结效果。为了保证检测精度，应清除孔内粉尘，防止拔出试验时锚固件发生拔脱破坏。

6.3 注胶与锚固

6.3.1 注胶操作应缓慢进行，注胶速度过快会导致孔内胶体不饱满，从而使测得的拔出力不准确。

6.3.2 锚固胶为半流动状态胶黏体，注胶完成后应及时安放锚固件，否则胶体会从孔内流出，影响锚固效果。

6.3.3 固定架与锚固件连接并调节至测试面垂直后，应及时用钢钉固定在测试面上，否则会造成锚固件晃动或倾斜，影响测试结果。

7 水泥砂浆和纤维水泥砂浆强度换算及推定

7.1 水泥砂浆和纤维水泥砂浆强度换算

7.1.1 本规程所依据的试验分别进行了水泥砂浆、合成纤维砂浆及钢纤维砂浆的预埋拔出法检测和后装拔出法检测,根据材料的差异和检测方法的不同,本规程共拟合6条测强曲线。

根据湖南大学共54组水泥砂浆拔出试件、164组纤维水泥砂浆拔出试件,以及耒阳、常宁、常州等地现场试验研究成果,水泥砂浆和纤维水泥砂浆的拔出力与其抗压强度存在显著的线性关系,公式(7.1.1-1)~公式(7.1.1-6)系采用最小二乘法拟合而得。预埋拔出法检测水泥砂浆的回归曲线相关系数为0.9873,相对标准差为9.62%;后装拔出法检测水泥砂浆的回归曲线相关系数为0.9877,相对标准差为8.45%。预埋拔出法检测合成纤维水泥砂浆的回归曲线相关系数为0.9575,相对标准差为11.07%;后装拔出法检测合成纤维水泥砂浆的回归曲线相关系数为0.9725,相对标准差为10.66%;预埋拔出法检测钢纤维水泥砂浆的回归曲线相关系数为0.9618,相对标准差为11.46%;后装拔出法检测钢纤维水泥砂浆的回归曲线相关系数为0.9772,相对标准差为8.27%。表明以上6个公式拟合效果良好,接近实际情况。因此,本规程提出水泥砂浆和纤维水泥砂浆强度换算值按照公式(7.1.1-1)~公式(7.1.1-6)计算。

7.2 单个构件的水泥砂浆和纤维水泥砂浆强度推定

7.2.1 拔出法检测时,当单个构件3个拔出力中最大值或最小值与中间值之差均小于中间值的15%时,说明所测构件水泥砂浆或纤维水泥砂浆强度的均匀性较好,测试误差较小。

当单个构件3个拔出力中最大或最小拔出力与中间值之差均大于中间值的15%时，说明所测构件水泥砂浆或纤维水泥砂浆强度均匀性较差或测试误差较大。为了消除试验误差，提高砂浆强度保证率，本规程规定在最小拔出力测点附近加测测点，并提出了这种情况下拔出力的计算方法。

7.3 批抽检构件的水泥砂浆和纤维水泥砂浆强度推定

7.3.2 根据已有工程经验和统计概念，当样本容量为30个，强度保证率95%对应的临界值为1.69。为了确保足够的强度保证率，本标准取临界值为1.75。

7.3.4 按批抽样检测时，检测批水泥砂浆强度换算值的标准差或纤维水泥砂浆强度换算值的标准差过大时，说明这些测点不能视为同一母体，不能按批进行检测。因此，本条对抽样检测的标准差限值进行了规定。

附录 A 建立测强曲线的基本要求

A.0.3 建立测强曲线需要足够的试验数据支持,本规程建立测强曲线所进行的试验研究中,采用的水泥砂浆强度等级为10MPa、15MPa、20MPa、25MPa、30MPa、35MPa、40MPa、45MPa、50MPa,纤维水泥砂浆的强度等级为 20MPa、30MPa、40MPa、50MPa、60MPa、70MPa、80MPa,可以满足工程中使用需要。因此本规程规定了建立测强曲线的试验分组要求。

A.0.4 拔出法检测的对象多数情况下,养护条件不是标准养护条件,为了试验方便,且与工程实际情况接近,规定砂浆立方体试块与拔出试件同条件制作、养护和试验,应按现行行业标准《建筑砂浆基本性能试验方法标准》JGJ/T 70 的规定执行。本规程规定砂浆试块应采用带底试模制作。